傻狗温迪克

Because of Winn-Dixie

[美] 凯特·迪卡米洛/著

傅蓓蒂/译

天津出版传媒集团

新蕾出版社

图书在版编目 (CIP) 数据

傻狗温迪克 / (美) 迪卡米洛 (DiCamillo,K.) 著；
傅蓓蒂译. -- 天津：新蕾出版社, 2014.4(2014.11 重印)
(国际大奖小说·注音版)
书名原文：Because of Winn-Dixie
ISBN 978-7-5307-5891-5

Ⅰ.①傻… Ⅱ.①迪… ②傅… Ⅲ.①儿童文学–中
篇小说–美国–现代 Ⅳ.①I712.84

中国版本图书馆 CIP 数据核字(2013)第 275879 号

BECAUSE OF WINN-DIXIE by Kate DiCamillo
Copyright © 2000 Kate DiCamillo
Published by arrangement with Walker Books Limited, London SE11
5HJ
Simplified Chinese translation copyright © 2014 by New Buds
Publishing House (Tianjin) Limited Company
ALL RIGHTS RESERVED
津图登字：02-2003-114

出版发行：天津出版传媒集团
新蕾出版社
e-mail:newbuds@public.tpt.tj.cn
http://www.newbuds.cn
地　　址：天津市和平区西康路 35 号(300051)
出 版 人：马梅
电　　话：总编办 (022)23332422
　　　　　　发行部 (022)23332676　23332677
传　　真：(022)23332422
经　　销：全国新华书店
印　　刷：天津金彩美术印刷有限公司
开　　本：787mm×1092mm　1/16
字　　数：99 千字
印　　张：9.75
版　　次：2014 年 4 月第 1 版　2014 年 11 月第 2 次印刷
定　　价：19.00 元

让孩子登上阅读快车

王林／儿童阅读专家

"国际大奖小说"书系集合了世界各国的经典儿童文学作品。这个经典,不是成人读过的四大名著和鲁迅作品,而是儿童文学的经典;这个儿童文学,也已经跨越了安徒生童话和格林童话,是当代儿童文学的经典。

"国际大奖小说"书系畅销十多年,已然成为童书市场的"常青树"和品牌书。无数的孩子喜悦地翻看它们、阅读它们,这些书也喜悦地住进了孩子的心里。

"国际大奖小说"书系的读者群,基本上都是小学中、高年级的学生,甚至中学生。而对于识字量有限的小学低年级孩子,则会因为书中文字量大而选择要么让大人读来听,要么弃而不读了。

小学低年级的孩子,其实应该是一个得到更多关注的阅读群体。想想这些孩子吧,他们收起爱掉的眼泪和爱淌的鼻涕,睁着好奇的眼睛走进校园,开始正式的集体学习生活。过去,妈妈可能每天还会在床头朗读图画书,但上学后这样的时光会越来越少。他们在老师的带领下,识字、学拼音、读课文,从结结巴巴到逐步流利,正在蹚过一条独立阅读的"河"。

所有的孩子都要迈向独立阅读,如同所有的孩子都要独立面对生活。我们除了满心的祝福,还要伸出扶助的手。

"国际大奖小说·注音版"就是这双"扶助的手"。这双手,为低年级孩子选择了这些书,并标注了拼音,让文字不再成为阅读的阻碍;这些书,不论是内容主题还是文字深浅,都适合孩子;这些书,让孩子登上阅读快车,我们则留在站台上,用爱的目光伴他们远行!

Because of Winn-Dixie ·目录·

傻狗温迪克

·目录· Because of Winn-Dixie

傻狗温迪克

会笑的狗

我叫印第亚·欧宝·布隆尼。去年暑假，我的牧师爸爸叫我去超市买东西，而我却带回了一只狗。事情是这样的：我走进温迪克超市时，差点儿撞上超市的经理。他脸红脖子粗地站在那儿，张牙舞爪地挥着手臂。

"谁让狗跑进来的？"他大呼小叫地喊道。

起先我并没有看到狗，只见地上一个个的番茄、洋葱、青椒滚来滚去。

接着，我才看到角落里有一只又大又丑的狗，它伸着舌头，摇着尾巴，突然一个蹦跳，停在我面前傻笑。我还从没见过一只会笑的狗，可它真的在笑，龇牙咧嘴地对着我笑。

超市经理吼着："赶快把狗抓起来！"只见那只狗冲向经理，前爪搭在他的肩膀上，摇头摆尾。可一不小心，它把经理推倒在地。经理一定觉得今天倒霉透顶了，居然坐在地上哭了起来。那只狗赶紧靠过去，体贴地舔着他的脸。

经理说："有没有人可以给流浪动物之家打个电话？"

002

"等一下！"我大声说，"那是我的狗，不用打电话了。"

所有人都转过头来看着我，我知道这个娄子捅大了，可是话已经说出去了，我怎么也不能让他们把那只狗送到流浪动物之家去。

"过来，狗狗。"我说。

那只狗转过身，竖起耳朵看着我。

"过来，狗狗。"我又说了一遍。我猜想它像全世界的人一样，都希望有一个名字，于是我灵机一动，就用第一个浮现在脑海中的名字叫它："过来，温迪克。"那只狗蹦蹦跳跳地来到我面前，好像它真的叫"温迪克"似的。超市经理站起来，狠狠瞪了我一眼，以为我在开玩笑。

"它真的叫温迪克。"我说。

超市经理说："难道你不知道狗不能进超市吗？"

"我知道。"我告诉他，"它不小心跑进来的。真对不起，下次不会了。"

"走吧！温迪克。"我对狗说。它乖乖地跟着我走出了大门。

走出超市，我又仔细打量起这只狗，它好像并没有刚才那么可爱嘛。它虽然很大，可是很瘦，连肋骨都能看到，身上还长着癞痢。

大致说来，它看起来就像一块淋了雨的咖啡色地毯。

"你很邋遢。"我对它说，"我猜你一定是只流浪狗。"

它又龇牙咧嘴地冲我笑，那个样子好像在说："我知道我很邋遢，可是我很可爱，不是吗？"

"走吧！"我说，"看看牧师会怎么说。"

我和温迪克一起慢慢地走回家去。

收留温迪克

捡到温迪克的时候，我和牧师爸爸刚刚搬到佛罗里达州的纽奥米市。他在这里的展怀教会当牧师。回家的路上，我告诉温迪克我们为什么会搬家，还跟它大谈我的牧师爸爸。他是个好人，虽然有点儿啰嗦，还经常把买杂货的苦差事都推给我。

"你知道吗？"我跟温迪克说，"你是一只落难街头的狗，所以他可能会接受你，搞不好还会让我养你呢。"

温迪克摇着尾巴，抬头看着我。它有一条腿怪怪的，走起路来有点儿瘸。我必须承认，它真的是又臭又脏又丑，可我已经全心全意地爱上它了。

"坐下。"我们到达家门口时，我对它说。它马上乖乖地坐下。这时牧师坐在客厅里的小折叠桌旁，身边堆满了文件。他边看文件边摸鼻子，这个动作表示他正在努力思考中。

"爸爸。"我说，"你是不是常教导我说，我们要帮助比我们不幸的人或动物？"

"对呀！"他摸着鼻头，看着文件回答。

"我在超市发现了一个小可怜。"

"是吗？"他问。

"是的，爸爸。"我专注地看着他。有时候我觉得他像一只乌龟，成天只顾着把头缩在壳内思考，从来不看看外面的世界。"爸爸，我们可以让这个小可怜和我们一起住吗？"

牧师终于抬起头来看着我说："欧宝，你到底在说什么呀？"

"我捡到了一只狗，我想养它。"

"不行。"牧师说，"你又不需要狗。"

"我知道。"我说，"我知道我不需要狗狗，可这只狗狗需要我。你看——"我走向门边，叫了声："温迪克！"温迪克听到了，马上一跛一跛地爬上楼梯，走进客厅来。它把头放在牧师的腿上，那里正好有一大摞文件。牧师看着温迪克，看看它的瘦肋骨，再看看它一块一块的癣癞。它也抬头看着牧师，咧着嘴露出歪七扭八又泛黄的牙齿，摇着尾巴表示友好，却把小方桌上的文件给扫到地上，还打了一个大喷嚏，把更多的文件吹得满地都是。

"你叫它什么？"牧师问我。

"温迪克。"我低声回答。

"这样啊……"牧师说，"它应该是一只流

010

làng gǒu　　yì zhī hěn kě lián de liú làng gǒu
浪狗，一只很可怜的流浪狗。"

　　　　　nǐ xiǎng yǒu gè jiā ma　　mù shī yòng wēn róu de yǔ diào
　　"你想有个家吗？"牧师用温柔的语调

wèn wēn dí kè　 wēn dí kè yáo yáo wěi ba
问温迪克。温迪克摇摇尾巴。

　　　　　hǎo ba　　mù shī shuō　　wǒ xiǎng nǐ yǐ jīng zhǎo dào tā
　　"好吧！"牧师说，"我想你已经找到它

le
了。"

妈妈的十件事

我马上动手给温迪克梳洗。它好像不喜欢洗澡，但不介意我梳它的毛，梳毛的时候它的背摆来摆去，好像很舒服的样子。我一边为它清洗，一边和它讲话，它静静地听着。

"看——"我说，"你没有家人，我也没有。我有个牧师爸爸，可没有妈妈。我三岁时她就离开了，我对她一点儿印象也没有。你一定也不记得你妈妈了吧？所以说我们是同病相怜。"我说到这里，温迪克目不转睛地看着我，好像终于有人了解它的遭遇似的，深深地叹了一口气。我对它点点头，继续说："我甚至没有朋友，因为我才从瓦特里搬到这里不久。瓦特里在佛罗里达州的北边。你去过那里吗？"

温迪克低下头，仿佛在回忆它是否去过。

"你知道吗？"我说，"自从我们搬到这里，我特别想我的妈妈。"

温迪克竖起耳朵，又扬起眉毛。

"我想牧师也和我一样想念妈妈。他还是爱她的。但他从来不跟我说这些，也不跟我谈论妈妈。我很想多知道一些关于妈妈的事，可又不敢问牧师，我怕他会生气。"温迪克认真地看着我，好像有什么话要跟我说似的。

"你觉得我应该问牧师关于妈妈的事吗？"

温迪克看了我一眼，又打了一个喷嚏。

"让我想一想。"我说。

梳理之后，

温迪克看起来

顺眼多了。虽

然还能看见它

的肋骨，但我打

算好好儿喂

它，或许可以改变它的形象。我带它进屋给牧

师看看。

　　"爸爸。"我说。

　　"嗯。"他回答。他正在准备布道的内容，

口中念念有词。

　　"爸爸，我想让你看看崭新的温迪克。"

　　"哇！"牧师抬起头，看着温迪克，露出灿烂

的笑容，"现在你看起来挺帅的嘛！"温迪克

走过去，把头放在牧师的腿上。

　　"它闻起来也很香哟。"牧师说。他摸摸温

迪克的头，注视着它的眼睛。

　　"爸爸。"我鼓起勇气说，"我跟温迪克谈

le
了。"

ò shì ma mù shī zhuā zhuā wēn dí kè de tóu huí dá
"哦，是吗？"牧师抓抓温迪克的头回答。

wǒ gēn tā tǎo lùn guo tā yě tóng yì wǒ de yì jiàn wǒ yǐ
"我跟它讨论过，它也同意我的意见。我已

jīng shí suì le nǐ yīng gāi gào su wǒ shí jiàn guān yú mā ma de
经十岁了，你应该告诉我十件关于妈妈的

shì
事。"

mù shī lèng zài nà lǐ wǒ zhī dào tā yòu xiǎng bǎ tóu suō huí
牧师愣在那里。我知道他又想把头缩回

ké li
壳里。

yì nián yí jiàn shì wǒ shuō hǎo ma
"一年一件事。"我说，"好吗？"

wēn dí kè yě tái tóu kàn zhe mù shī yòng tā de bí zi qīng
温迪克也抬头看着牧师，用它的鼻子轻

qīng tuī le tā yí xià mù shī tàn le yì kǒu qì tā duì zhe wēn dí
轻推了他一下。牧师叹了一口气。他对着温迪

kè shuō wǒ zǎo gāi cāi dào nǐ shì gè xiǎo má fan rán hòu tā bǎ
克说："我早该猜到你是个小麻烦。"然后他把

mù guāng zhuǎn xiàng wǒ lái ōu bǎo tā shuō zuò xià ràng
目光转向我，"来，欧宝，"他说，"坐下。让

wǒ gào su nǐ shí jiàn guān yú nǐ mā ma de shì
我告诉你十件关于你妈妈的事。"

dì yī jiàn shì　　　mù shī shuō　　wǒ men zuò zài shā fā yǐ
"第一件事。"牧师说。我们坐在沙发椅

shang　wēn dí kè jǐ zài wǒ men zhōng jiān　zhuān zhù de kàn zhe mù
上，温迪克挤在我们中间，专注地看着牧

shī
师。

nǐ mā ma hěn yōu mò　　tā kě yǐ bǎ měi gè rén dōu dòu de hā
"你妈妈很幽默。她可以把每个人都逗得哈

hā dà xiào
哈大笑。"

dì èr jiàn　　tā shuō　　tā de tóu fa shì hóng sè de　　liǎn
"第二件，"他说，"她的头发是红色的，脸

shang yǒu què bān
上有雀斑。"

xiàng wǒ yí yàng　　　wǒ shuō
"像我一样？"我说。

xiàng nǐ yí yàng　　　mù shī diǎn diǎn tóu
"像你一样。"牧师点点头。

dì sān　　tā xǐ huan zhòng dōng xi　zhè fāng miàn tā hěn yǒu
"第三，她喜欢种东西，这方面她很有

tiān fù
天赋。"

wēn dí kè kāi shǐ yǎo zì jǐ de jiǎo zhǐ wǒ pāi pāi tā de tóu
温迪克开始咬自己的脚趾，我拍拍它的头

jiào tā bú yào yǎo
叫它不要咬。

dì sì mù shī shuō tā pǎo de hěn kuài
"第四，"牧师说，"她跑得很快。"

wǒ yě shì wǒ shuō yǐ qián zài wǎ tè lǐ de shí hou
"我也是!"我说，"以前在瓦特里的时候，

wǒ hé fù lái ēn sài pǎo měi cì dōu shì wǒ yíng
我和傅莱恩赛跑，每次都是我赢。"

mù shī diǎn diǎn tóu dì wǔ tā shuō tā bú huì zhǔ
牧师点点头。"第五，"他说，"她不会煮

fàn lián dòu zi guàn tou yě bú huì kāi
饭，连豆子罐头也不会开。"

dì liù mù shī mō mō bí zi tái tóu kàn zhe tiān huā bǎn
"第六，"牧师摸摸鼻子，抬头看着天花板，

wēn dí kè yě yī yàng huà hú lu nǐ mā ma xǐ huan tīng gù shi
温迪克也依样画葫芦。"你妈妈喜欢听故事，

yóu qí ài tīng yǒu qù de gù shi cháng cháng xiào de qián yǎng hòu
尤其爱听有趣的故事，常常笑得前仰后

hé mù shī biān shuō biān diǎn tóu
合。"牧师边说边点头。

dì qī jiàn shì shì shén me ne wǒ wèn
"第七件事是什么呢?"我问。

"让我想一想。"他说,"她对星座非常了解。夜晚的每一颗星星,她都可以叫出它们的名字,并指出它们所在的位置。仰望天上的星星对她来说有不可抗拒的吸引力。"

"第八,"牧师闭着眼睛说,"她讨厌当牧师的太太。她不能忍受教会里的太太们对她品头论足,一会儿批评她的衣服,一会儿批评她的烹饪技术和歌喉。"

温迪克躺在沙发上。它把鼻子放在牧师的大腿上,尾巴冲我这边。

"第十件事。"牧师说。

"第九。"我纠正他。

020

"第九件事，"牧师说，"她酗酒，我和你妈妈常常为此吵架。"他叹了一口气说，"第十件事，你妈妈很爱你，她非常爱你。"

"可她却离开了我。"我说。

"她离开了我们两个。"牧师轻声地说。

我看见他把头又缩回乌龟壳里。"她带着行李走了，一件东西也没有留下来。"

"好了。"我说着，从沙发上站起来，温迪克也跳下来。"谢谢你告诉我这些。"我说。

我回到房间，把这十件事一一记下来。这样，如果妈妈回来的话，我就可以很快认出她，然后把她抱得紧紧的，再也不让她离开我。

温迪克上教堂

我们很快就发现温迪克最不能忍受被单独留在家里，它会把沙发椅垫拖下来，把卫生纸整筒拉出来。所以我们每次出门都把它拴在外面。可那也不行。温迪克会乱吼乱叫，这可是拖车社区的人最讨厌听到的噪音。

"它只是不想被单独留在家里。"我告诉牧师，"以后就让它跟我们一起出门吧。"我了解温迪克的感受，被单独留下来，会让它的内心觉得很空虚。

牧师终于让步了。但是我们第一次带温迪克到教堂的时候，牧师并没有让它进去，而是把它拴在前门外。

"为什么要把它拴起来呢？"我问牧师。

"因为狗不可以进教堂，欧宝。"牧师说。

礼拜开始了，有人在唱诗，有人在祷告，然后牧师开始布道。他还没讲几句话，外面就传来一声可怕的吠叫。牧师假装没听见。

"今天……"他说。

"啊……呜……"温迪克叫道。

"请别这样。"牧师说。

"啊……呜……噫……"温迪克回叫了一声。

"朋友们！"牧师说。

"啊……呜……噫……哎……"温迪克哀号起来。

每个人都收起椅子，互相看来看去。

"欧宝。"牧师说。

"噢……"温迪克还在叫着。

"什么事，牧师？"我说。

"去把狗带进来！"他大声地说。

"是的，牧师。"我也大声回答。

我走到外面，解开绳子，把温迪克带进

教堂，它坐在我旁边，笑眯眯地看着牧师，牧师也只好对它笑一笑，然后继续开始布道。温迪克坐着聆听，像是要把每一个字都听进去。

如果不是有一只老鼠跑过，可以说一切进行得非常顺利。

前一分钟，牧师正在布道，教堂里的气氛还肃静凝重；可这会儿，温迪克就像一颗长了毛的子弹，在教堂里穿梭着追逐老鼠。它一面吠，一面在地上冲来滑去，惹得大家鼓掌喝彩。等温迪克真的抓到老鼠时，他们简直兴奋到了极点。

"我这辈子从没见过狗抓老鼠。"诺德丽太

tai shuō
太说。

  tā shì yì zhī bù tóng fán xiǎng de gǒu wǒ gēn tā shuō
  "它是一只不同凡响的狗。"我跟她说。

  wǒ xiǎng yě shì tā biǎo shì zàn tóng
  "我想也是。"她表示赞同。

温迪克摇着尾巴站在讲台边，小心翼翼地用爪子按住老鼠的尾巴，然后咧着嘴对牧师傻笑。牧师看看老鼠，看看温迪克，又看看我。他摸摸鼻头。这时，教堂里好安静。

"让我们一起为这只老鼠祷告。"牧师终于开口了。

大家开始鼓掌。牧师抓起老鼠尾巴，走到前门，把老鼠丢到教堂外面，大家再次鼓掌。

然后他走回来，和我们一起祷告。我为妈妈祈祷，也为自己祈祷。我很寂寞，展怀教会没什么小朋友，只有邓拉普、斯蒂威两个长得很像却不是双胞胎的兄弟，老是皱着眉的阿曼达，还有"小不点儿"汤玛斯，她才五岁，还是个小小孩儿。他们当中没人想跟我做朋友，因为他们总认为我会把他们做错的事告诉牧师爸爸，那样上帝和他们的父母就会知道。所以我跟上帝说，即使有了温迪克，我还是很寂寞。最后，我为那只小老鼠祷告，希望它被丢出教堂大门的时候跌落在柔软的草皮上，没有受伤。

第一个朋友

夏天里，大部分时间我都待在赫曼·布莱克纪念图书馆。芬妮小姐是图书馆的管理员。她是我在纽奥米市交到的第一个朋友。

一切要从温迪克不喜欢这个把它拒之门外的图书馆开始说起。因为它不能进去，所以我得教它怎样踮着后脚，趴在窗口看我在里面选书。可当芬妮小姐看到温迪克时，她以为她看到的是一头熊，而不是一只狗。

事情是这样的：当时我正在选书，突然听到一声惊恐万分的尖叫。我马上跑到门口，只见芬妮小姐跌坐在书桌后的地板上。

"芬妮小姐。"我问，"你还好吗？"

"一头熊！"她说。

"一头熊？"我问。

"它又回来了。"她说。

"它？"我问，"它在哪儿？"

"那里。"她用手指着温迪克。它正趴在窗口上看我。

"那不是熊，"我说，"是我的狗温迪克。"

"你确定吗？"她问。

"确定，女士。"我告诉她，"百分之百确定。它就算烧成灰，我也能认得出来。"

芬妮小姐依然坐在那儿发抖。

"来，"我说，"我扶你起来。没事了。"我伸手把她拉起来。她实在太轻了，好像没有重量似的。站稳后，她觉得自己很丢脸，说我一定认为她很可笑，把狗当成熊。不过她说在很久以前，真的有熊闯入图书馆，至今她还没办法忘记那次经历。

"什么时候的事啊？"我问她。

"唉，"芬妮小姐说，"很久以前的事了。"

"没关系。"我跟她说，"我跟我妈妈一样，喜欢听故事，你可以让温迪克进来一起听吗？

我不在身边，它会很寂寞的。"

"嗯……"芬妮小姐说，"照理说狗是不

准进入图书馆的。"

"它会很乖的。"我说，"它是一只上过教

堂的狗。"在她犹豫不决的时候，我已经跑到外

面把温迪克带了进来。"呼……"它长长地

叹了口气，然后躺在芬妮小姐的脚边。

她低头看它，说："它真的是一只大狗。"

"没错。"我说，"它也有一颗宽大的心。"

"好吧！"芬妮小姐拍拍温迪克的头，"让

我坐下来，好好儿跟你们说说这个故事。"

033

"很久以前，佛罗里达州还是蛮荒之地。"

芬妮小姐说，"那时我比你现在还小，我父亲说我可以要任何东西做生日礼物。我爸爸是个有钱人，而我是个爱读书的小女孩。所以我跟他说，我想要一个图书馆，不用太大，只要小小的一个就很棒了。我想和别人一起分享这些书。"

"那头熊又是怎么回事呢？"我问。

"那时的佛罗里达很荒凉，只有野人和野生动物。"

"比如熊！"

"你说对了。那时因为我有满满一图书馆

的书，我变得很聪明，大家都称我是'万事通小姐'。一个炎热的星期四，我坐在图书馆里，把门窗全都打开，专心地看书。忽然一个影子掠过我的书桌。我连头都没抬就说：'要我帮你找书吗？'没有人回答。突然，我闻到一股很奇怪的气味。我慢慢往上看，站在我面前的竟然是一头熊——一头非常大的熊！"

"有多大？"我问。

"我想想看。"芬妮小姐说，"可能有这只狗的三倍大。"

"然后呢？"我问。

"嗯，"芬妮小姐说，"它用鼻子闻呀闻，好像在考虑有没有心情吃掉这个万事通小姐。我心想，想要吃我？门儿都没有！我绝对不会让你得逞的。所以我很小心地举起我正在看的那本书。"

"什么书？"我问。

"《战争与和平》，一本很厚的小说。我用书瞄准它，然后用力掷过去，并且大叫'走开！'你知道后来怎么样了吗？"

"不知道。"我回答。

"它走了，把那本书也带走了。"

"不会吧？"我说。

036

“真的。”芬妮小姐说,“它衔起书才跑掉的。”

“它回来过吗?”我问。

“没有,我再也没见过它。城里的人以前

常用这件事取笑我。"她叹了一口气，"我想，我可能是唯一还记得那头熊的人。所有我年轻时认识的人，不是死了就是搬走了。"她又叹了一口气。有时候，在新的地方，没有朋友，没有妈妈来安慰我，我也会叹气。温迪克抬起头，坐直身子，对着芬妮小姐咧嘴傻笑。

"看!"她说，"这只狗在对我微笑呢。"

"这是它的看家本领。"我说。

"这是好本事。"她也对温迪克笑笑。

"我们可以做朋友。"我对芬妮小姐说，"你、我和温迪克，我们可以一起做朋友。"

芬妮小姐笑得更开心了，"那太好了。"

就在这时，皱着眉的阿曼达走进了图书馆。她对芬妮小姐说："我读完了《约翰尼·特里梅因》，我很喜欢。这次我想借一本比较有深度的书，因为我的阅读能力提高了。"

"好的，我明白了。"芬妮小姐站起身来。

阿曼达假装没看见我，她和芬妮小姐一起走开的时候问了声："狗可以进图书馆吗？"

"只有经过特别允许的才行。"芬妮小姐说。她转向我，冲我眨了眨眼。我对她笑笑。我在纽奥米市交了第一个朋友，没有人能阻挡，阿曼达也不例外。

"佳畜得"宠物店

温迪克现在最需要一个项圈和一条狗链，于是我去了"佳畜得"宠物店，在那里找到了一个很漂亮的红色皮项圈和一条很相配的链子，我知道温迪克也很喜欢，但是价格好贵。

我向那位店员解释了一下："我的零用钱不够，可我和我的狗真的很喜欢这个项圈和链子，我能分期付款吗？"

"分期付款？"那个男店员问。

"佳畜得！"有个很不讨人喜欢的声音大叫道。我看看四周，原来是一只鹦鹉。

"对，分期付款。"我不理会那只鹦鹉，"我保证每个星期给你我的零用钱，你可不可以先把项圈和链子给我？"

"不行。"男店员摇摇头说，"老板娘不会同意的。"他低头看着柜台，我看见他的名牌上写着他的名字——奥蒂斯。

"或许我可以帮你工作。"我说，"清扫地板、清理架子、倒垃圾，这些我都会做。你可以相信我。虽然我是新搬来的，可我爸爸是个牧师，所以我很诚实。可有一件事要先声明，温迪克必须跟我一起进来，如果我们分开太久，它就会在外面乱吼乱叫。"

"佳畜得不喜欢狗。"奥蒂斯说。

"她是老板娘吗？"我问。

"是的，不，我是说……"他终于抬起头说，"那只鹦鹉也叫佳畜得。我用老板娘的名字叫它。"

"佳畜得是只漂亮的鸟。"鹦鹉大叫。

"它可能会喜欢温迪克。"我对奥蒂斯说，"如果它们合得来，我就可以工作了。"

"可能吧。"奥蒂斯吞吞吐吐地说，他又低

下头看着柜台。我马上开门让温迪克进来。

"狗！"佳畜得大叫。

"我知道。"奥蒂斯对它说。

佳畜得变得很安静，头转来转去地看着温迪克。温迪克一动也不动地站着盯着它瞧。突然，佳畜得展开翅膀飞起来，落在温迪克的头上。

"狗。"它嘎嘎叫。

温迪克轻轻地摇摆着它的尾巴。

奥蒂斯说："你下周一开始上工吧。"

"谢谢你。我保证你不会后悔的。"

从"佳畜得"宠物店出来的路上，我跟

温迪克说："我敢打赌，如果我妈认识你，她一定觉得你是一只最棒的狗。"温迪克对着我笑，我也低头对它微笑，两个人都没注意四周，差一点儿就撞上了"小不点儿"汤玛斯。她站在宠物店的玻璃窗外，吮着手指头往里看。"那只鸟停在狗狗的头上了吗？"她问道。

"对呀。"我跟她说。

"我看见了。"她点点头说，"我在教会里见过那只狗抓老鼠。我也想有一只那样的狗，可我妈不准。我可以拍拍你的狗吗？"

"当然可以。"

044

"小不点儿"认真地拍着温迪克的头,拍了好久,拍得它眼睛半闭,口水都快流出来了。

　　"我九月就满六岁了。""小不点儿"又说,"我有个生日聚会。你愿意来参加我的聚会吗?"

　　"当然啦。"我告诉她。

　　"这只狗可以来吗?"她问。

　　"当然。"我说。

　　突然,我感觉好快乐。我有一只狗,有一份工作,有芬妮小姐当我的朋友,还有一个生日聚会邀请,虽然是来自一个五岁的小朋友,还要等到九月份,可是我不再觉得寂寞了。

格洛丽亚的花园

因为温迪克的关系，那个夏天发生了好多事。如果没有它，我就不会认识格洛丽亚。

事情是这样的：我从"佳畜得"宠物店骑车回家，温迪克在旁边跟着跑。我们经过邓拉普和斯蒂威的家门口，他们看到我，也骑上车开始追我，嘴里还嘀嘀咕咕的。有一年他们染上了虱子，所以一到夏天他们的头发就被剃光，看起来就像两个光头宝宝。

“我知道你们在说什么。”我向他们喊。

这时，温迪克开始跑到前面。

“你最好小心点。”邓拉普大喊着说，“那只狗跑到巫婆家去了。”

“温迪克！”我叫它，可是它越跑越快，跳过栅门，跑进一个我从没见过、像丛林一样的院子里。

“你最好去把你的狗带出来。”邓拉普说。

“那个巫婆会把狗吃掉的。”斯蒂威说。

我跳下车大叫：“温迪克，你快点出来！”

“她可能已经开始吃它了。”斯蒂威说。

“滚开，光头宝宝！”我对他们说。

"嘿!"邓拉普说,"一个牧师的女儿这样讲话是很没有礼貌的。"他俩退后了一点儿。

我站在那里想了一会儿,决定宁愿和巫婆打交道,也不想失去温迪克。于是我穿过栅门,走进院子里。

"那个巫婆正好拿狗当晚餐,拿你当饭后点心。"斯蒂威说。

"我们会告诉你牧师爸爸的。"邓拉普在我背后大吼大叫。

我走进丛林,里面什么东西都有,有花、蔬菜、树和藤蔓。

"温迪克!"我叫。

048

"呵呵。"我听见有人说，"这只狗真爱吃。"

我绕过一棵大树，才看到温迪克正在吃巫婆手上的东西。她抬头看我。"这只狗很喜欢花生酱。"她说。她很老，没有牙齿，皮肤又黑又皱，还戴了一顶插满草的扁帽子，看起来一点儿也不像巫婆，反倒像个好人。而且我看得出来，温迪克很喜欢她。

"对不起，它跑进您的花园里了。"我说。

"没关系，"她说，"我很喜欢有一个小家伙做伴。"

"我叫欧宝。"我告诉她。

"我叫格洛丽亚·戴普。"她说，"那这只狗

049

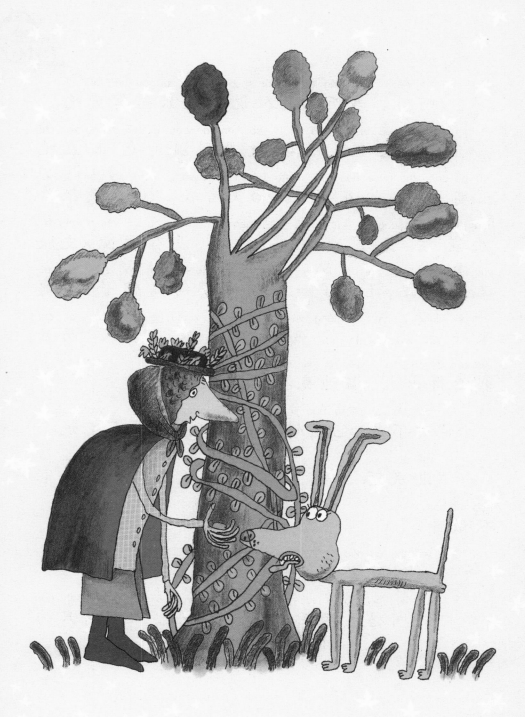

呢？它叫什么？"

"温迪克。"我回答。

"温迪克？"格洛丽亚问，"跟那个超市的名字一样？"

"是的。"

"哇！"她说，"它可以得怪名字奖了。我正要做花生酱三明治。"她问我，"你也要一个吗？"

"好呀！"我说，"谢谢！"

"过来坐好。"她指着那张椅背已经歪得快要掉了的凉椅说，"不过，坐的时候要小心。"

我小心地坐下来，格洛丽亚帮我做了个花
生酱三明治。吃完后，她对我说："你知道
吗？我眼睛不好，看东西模糊不清，所以我只
能用心去看。你能告诉我你的事吗？这样我
就可以用心去认识你了。"

可能是我从来没吃过这么好吃的花生
酱三明治，也可能是我等了好久终于盼到
一个可以听我倾诉的人，于是我把所有的事都
告诉了她。

我告诉格洛丽亚为什么我和牧师爸爸会
搬来纽奥米市；告诉她妈妈离家出走和妈妈的
十件事；告诉她牧师爸爸像一只缩头乌龟，大

部分时间都躲在壳里；告诉她怎么在超市捡到温迪克，因为它我才能和芬妮小姐做朋友，才在宠物店找到一份工作，才被"小不点儿"邀请参加她的生日聚会；我还告诉她邓拉普和斯蒂威叫她老巫婆，不过我根本不相信。

　　我在讲话时，格洛丽亚不时点头、微笑或皱眉头，我可以感觉到她很用心地在听。这种感觉真好。

　　"你知道吗？"等我全部说完了，她才说。

　　"什么？"

　　"你从你妈妈那儿遗传到的，不只是红头发、雀斑和跑得快。"

"真的吗？"我追问，"还有什么？"

"可能你也遗传了她的绿拇指①。我们可以种点东西，看看你有没有这方面的天分。"

"好极了。"我说。

格洛丽亚替我选了一棵树，照我看来倒比较像盆栽。她叫我挖一个坑，把树苗放进去，把土盖上，用力压实，就好像那棵树苗是个小宝宝，我在哄它睡觉一样。

"这是什么树？"我问格洛丽亚。

"一棵等待结果的树。"她说。

---

①指善于养花和种植的人。

054

"什么意思？"

"意思是你必须等到它长大后，才会知道它是一棵什么样的树。"

"明天我可以来看它吗？"我问。

"孩子，"她说，"这里永远欢迎你来。不过那棵树明天不会有太多变化。"

"但我也想来看你呀！"我说。

"哈哈，"格洛丽亚笑着说，"我哪儿也不会去，我一定在。"

我叫醒温迪克，它的胡须上还沾着花生酱，不断地伸懒腰。回家前，它舔了舔格洛丽亚的手表示感谢，我也向她道谢。

那晚上床睡觉的时候，我告诉牧师我在"佳畜得"宠物店找到一份工作，和芬妮小姐做了朋友，被邀请参加"小不点儿"的生日聚会，还认识了格洛丽亚。我讲完的时候，牧师亲了我一下说"晚安"，然后他靠过去在温迪克的头上也亲了一下。"现在你可以上床了。"他对温迪克说。

温迪克看着牧师，张大了嘴好像在大笑，而更叫我吃惊的是，牧师居然大笑了起来。温迪克跳上床，牧师站起来关灯。我靠过去在温迪克的鼻子上亲了一下，可是它根本没有反应，因为它已经呼呼睡着了。

雷雨恐惧症

那晚出现了很大的暴风雨，可吵醒我的不是闪电，也不是打雷，而是温迪克用头撞房门的哀叫声。

"温迪克！"我叫它，"你在干吗？"

它不理我，继续用头撞门、哀号、呜咽。它全身颤抖，把我吓得要命。我跪下来搂着它的脖子，可是它不看我，不笑，不打喷嚏，不摇尾巴，只是继续撞门、哀号和颤抖。

"你想开门吗?"我站起来把门打开,温迪克立刻飞奔出去。

"温迪克。"我小声地叫它,"回来!"我怕它把牧师吵醒。可是太迟了,温迪克已经跑到了牧师的房里。我听到"噗"的一声,一定是温迪克跳到了床上,牧师被惊醒了。可没过多久,温迪克又冲出房间,像发了疯一样喘着大气跑来跑去。我试着想抓住它,可它跑得太快了。

"欧宝!"牧师走到客厅,头发乱七八糟的,"怎么回事呀?"

"我也不知道!"我回答。这时正好传来

一声很大的雷声，整座房子跟着震动起来，温迪克像子弹一样又从我房间冲出来，跑过我身边。我大叫："爸爸，小心！"

牧师还迷迷糊糊地站在那里。只见温迪克就像一个滚动着的保龄球，而牧师就像剩下的唯一一只球瓶，"哐啷"一声撞上了，两个一起跌在地上。

"哎呀！"我喊。

"欧宝！"牧师趴在地上，温迪克站在他背上喘气哀叫。

"我在，爸爸。"

"你知道恐惧症是什么吗？"

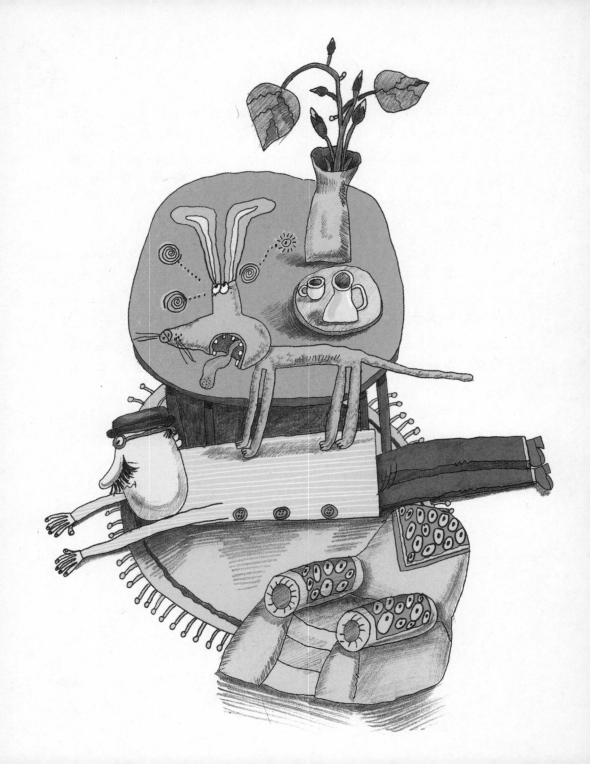

"不知道，爸爸。"我对他说。

牧师举起手摸摸鼻子，说："嗯。"停了一分钟又说，"那是一种远比害怕还严重的感觉，一种你无法解释或没有理由的不安。"

说话间又打了一个响雷，温迪克像被火烧到一样，倏地跳到空中。摔落地上后，它又跑回我的房间。我让路给它，没有试着去抓它。

牧师坐了起来。"欧宝，我想温迪克有雷雨恐惧症。"他刚说完，温迪克又像逃命一样冲过来。幸好我及时把牧师从地板上拉了起来，让出一条路。我们没办法安抚温迪克，只好坐在那里，看着它惊恐害怕、气喘吁吁地跑过来跑过去。每打一次雷，对温迪克来讲简直就像世界末日一样。

"这场雷雨不会太久。"牧师跟我说，"等雷雨结束，温迪克就会恢复原样。"

过了一会儿，雷雨果真停了，闪电没有了，最后一声雷响也渐渐远去。温迪克不再跑来跑去，它走向我和牧师，歪着脑袋好像在说："你们两个深更半夜不睡觉，在这里干吗？"它撒娇地慢慢爬上沙发，我们三个坐在一起，我揉揉温迪克的头，抓抓它的耳后。

牧师说："佛罗里达的夏天，暴风雨特别

duō
多。"

duì ya bà ba wǒ shuō wǒ zhēn pà bà ba shuō wǒ men
"对呀,爸爸。"我说。我真怕爸爸说我们
bù néng yǎng yì zhī yǒu léi yǔ kǒng jù zhèng de gǒu
不能养一只有雷雨恐惧症的狗。

wǒ men bì xū duō zhù yì tā mù shī shuō zhe lǒu guò wēn dí
"我们必须多注意它。"牧师说着搂过温迪
kè wǒ men yào què xìn bào fēng yǔ lái de shí hou tā bú huì pǎo
克,"我们要确信暴风雨来的时候,它不会跑
dào wài miàn bù rán tā huì zǒu shī wǒ men yào què bǎo tā de ān
到外面,不然它会走失。我们要确保它的安
quán
全。"

zūn mìng bà ba wǒ huí dá tū rán wǒ hóu tóu gěng zhù
"遵命,爸爸。"我回答。突然我喉头哽住,
shuō bù chū huà lái wǒ hǎo ài mù shī wǒ ài tā yīn wèi tā ài
说不出话来。我好爱牧师。我爱他,因为他爱
wēn dí kè wǒ ài tā yīn wèi tā yì diǎnr yě bù zé guài wēn dí
温迪克;我爱他,因为他一点儿也不责怪温迪
kè pà dǎ léi wǒ zuì zuì ài tā de shì tā yòng shǒu bào zhe wēn dí
克怕打雷;我最最爱他的是,他用手抱着温迪
kè de yàng zi hǎo xiàng tā yǐ jīng kāi shǐ bǎo hù tā le
克的样子,好像他已经开始保护它了。

宠物音乐会

打工第一天，我和温迪克很早就到了"佳畜得"宠物店，"休息"的牌子还挂在窗户上。我轻轻推开门，走了进去。这时，不知从哪里传来了音乐声。那是我有生以来听到的最好听的音乐。我四处张望，却看到兔子、天竺鼠、小老鼠、小鸟、蜥蜴，还有蛇，它们都像石头一样坐在地板上，把奥蒂斯围在中间。奥蒂斯弹着吉他，脸上露出陶醉的微笑。

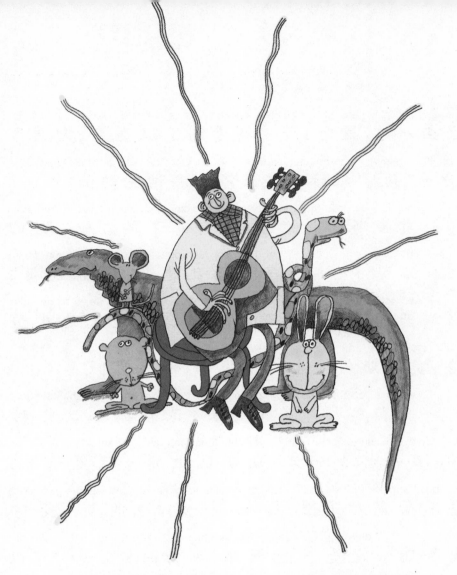

wēn dí kè de liǎn shang yě liú lù chū táo zuì de shén qíng　tā
温迪克的脸上也流露出陶醉的神情。它
duì zhe ào dì sī měng xiào　yòu dǎ pēn tì　rán hòu hé qí tā dòng wù
对着奥蒂斯猛笑，又打喷嚏，然后和其他动物

坐在一起。这时，佳畜得看到了温迪克，它叫了

声："狗！"然后飞过来停在温迪克的头上。

奥蒂斯抬头看到我，停止了弹吉他。魔咒

立刻不灵了——兔子开始乱跑，鸟开始乱飞，

蜥蜴开始乱爬，蛇开始乱窜。温迪克边吠边

追，奥蒂斯大叫道："快来帮帮我呀！"

我和奥蒂斯跑来跑去，试着抓住这些动

物。我每抓到一只，就胡乱放进一只笼子里，

也不管是对是错，反正先放进去再说。我想

奥蒂斯一定是个能催眠动物的魔法师，可以

用吉他声把所有的动物都变成石头。我灵

机一动。"我们真笨呀！"我大声喊道，"赶快

弹吉他，奥蒂斯！"

音乐一响起，所有的动物都安静了下来。

温迪克躺在地上，眨着眼睛，喷嚏连连地傻笑。那些我们还没抓到的老鼠、天竺鼠、兔子、蜥蜴也变得乖乖的。我一个个把它们捧起来放回笼子里。等我全弄好了，奥蒂斯才停止弹吉他。他低头看着自己的靴子说："我只是想弹一些让它们觉得快乐的曲子。"

"我知道。"我说，"它们是从笼子里逃出来的吗？"

"不是。"奥蒂斯说，"是我放它们出来的，看到它们整天被关在笼子里，我觉得很难受。我知道那种被关起来的感觉。"

"是吗？"我问。

"我以前坐过牢。"奥蒂斯说。他抬头瞥了我一眼，又低下头去看他的靴子。

然后，他走到柜台那儿翻来翻去，最后找出一把扫帚。

"你该开始扫地了。"他说。他一定有点儿紧张，因为他错把吉他递给了我，而不是扫帚。

"用你的吉他吗？"我问。

他一听脸就红了，赶紧把扫帚递给我。我扫干净了整个店，还掸干净了货架。等我打扫完毕，离开"佳畜得"宠物店的时候在想，牧师可能不会喜欢我替一个犯过罪的人工作。

"小不点儿"汤玛斯在门外等我。"我全看见了。"她站在那里，吮着手指头对我说。

"看见什么？"我问。

"我看见所有的动物都在笼子外面，一动也不动。那个人会施魔法吗？"她问我。

"会一点儿吧。"我说。

"就像这只超市狗，对不对？"

"对呀！"我回答。

"你会参加我的生日聚会吗？"她问我。

dāng rán huì　　wǒ shuō
"当然会。"我说。

　　wǒ děi zǒu le　　tā tū rán shuō　　wǒ yào huí jiā zhǎo mā
"我得走了。"她突然说,"我要回家找妈
ma
妈。"

　　kàn zhe　　xiǎo bu diǎnr　　pǎo huí jiā　　wǒ yě xiǎng qǐ le wǒ
看着"小不点儿"跑回家,我也想起了我
de mā ma　　wǒ zhēn xiǎng gào su tā ào dì sī cuī mián dòng wù de
的妈妈,我真想告诉她奥蒂斯催眠动物的
shì　　zhè xiē rì zi　　wǒ wèi tā sōu jí le bù shǎo gù shi　　wǒ yǒu yì
事。这些日子,我为她搜集了不少故事,我有一
zhǒng gǎn jué　　mā ma yí dìng huì xǐ huan de　　zhè xiē gù shi huì ràng
种感觉,妈妈一定会喜欢的。这些故事会让
tā dà xiào　　jiù xiàng mù shī shuō guo de　　tā hěn xǐ huan xiào
她大笑,就像牧师说过的,她很喜欢笑。

过错树

我和温迪克每天很早就出门，赶去"佳畜得"宠物店听奥蒂斯为动物弹吉他。有时候，"小不点儿"也会挤进这个音乐会。等她走了，我就开始扫地，清理架子上的东西。打工完毕，我和温迪克就去图书馆听芬妮小姐讲故事。不过我最喜欢去的还是格洛丽亚的后院，那也是温迪克最喜欢去的地方。

有时候，邓拉普和斯蒂威会跟在我们后

面大喊着："牧师的女儿又去拜访巫婆了。"

"她不是巫婆。"我告诉他们。他们不听，一口咬定格洛丽亚是个巫婆，这让我很生气。所以等我到了格洛丽亚后院的时候，她会马上给我一份花生酱三明治和一杯饮料，让我振作精神。

"你为什么不和他们玩？"格洛丽亚说，"我觉得他们是拐弯抹角想和你交朋友。"

"我才不想做他们的朋友。"我说，"我宁愿跟你聊天儿。"格洛丽亚摇摇头叹口气，然后就问我有没有什么新鲜事要告诉她。通常我都有一大堆事要跟她说。

有时候，我把芬妮小姐刚给我讲的故事讲给格洛丽亚听；有时候我模仿奥蒂斯弹吉他，把她逗得咯咯直笑；有时候我自己编故事。

有一天，讲完一个故事后，我决定告诉格洛丽亚奥蒂斯曾经是罪犯的事。我觉得我应该跟一个大人谈谈这件事，而格洛丽亚是最合适的人选。

"格洛丽亚，你认识奥蒂斯吗？"

"不认识，可我听你说起过他。"

"是这样的，他以前坐过牢。你觉得我应该怕他吗？"

"怕什么呢？"

"我不知道。我想是怕他做过的坏事吧。"

"孩子，"格洛丽亚说，"我来给你看一些东西。走，我们去后院看看。"

温迪克跟在我们后面，我们停在一棵很老很大的树前。

"你看这棵树。"格洛丽亚说。

我抬头仰望。每一根树枝上都绑着一个酒瓶，有威士忌酒瓶、啤酒瓶以及其他各式各样的酒瓶。瓶子互相碰撞在一起，发出一种诡异的声音。温迪克头上的毛都竖起来了，还发出低沉的吼叫声。

"为什么这些酒瓶要挂在树上？"我问。

“为了驱除幽灵。”格洛丽亚说。

“什么幽灵？”

“就是我曾经做过的错事啊。”

我看看树上的酒瓶问她：“你做过这么多错事呀？”

“嗯……”她回答说，“比这些还多呢。”

“可你是我认识的人中最好的一个。”

“这并不表示我没做过错事呀。”

“上面有威士忌酒瓶。”我继续说，“还有啤酒瓶。”

“是我把它们挂上去的，”格洛丽亚说，“也是我把里面的酒全都喝光了。”

"我妈妈也喝酒。"我小声地说,"我爸爸说有时候她控制不了自己。"

"嗯……"格洛丽亚又说,"有些人会这样。他们起个头儿,却不知道该怎么停下来。"

"你也是吗?"

"是的,可我现在不再喝了。"

"是那些威士忌和啤酒让你做错事吗?"

"有些是,有些和酒无关。"格洛丽亚说,"慢慢地,你会明白什么才是最重要的事。记住,你不能用他以前做的事来评判他,而要用现在做的事来评判他。你要从他弹奏的美妙音乐和他对动物的爱心上来看待奥蒂斯,因为那才是你认识的他，懂吗？"

"懂了。"我说。

"还有邓拉普和斯蒂威兄弟俩，不要太挑剔他们，好吗？"

"好吧。"我答应。

"那就好。"格洛丽亚转身往回走，温迪克也跟着她走了。

我站在那里研究那棵树。我在想不管妈妈在哪里，她是不是也有一棵挂满瓶子的树；我在想，对她来说，我是不是一个代表着她犯过错的幽灵，就像有时候对我来说她也像幽灵一样。

078

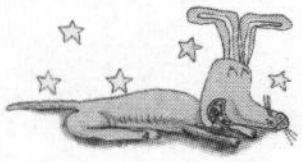

zhàn zhēng de gù shi
战争的故事

fó luó lǐ dá de xià tiān bào fēng yǔ tè bié duō měi cì wǒ
佛罗里达的夏天，暴风雨特别多。每次我
dōu jǐn jǐn de bào zhe wēn dí kè ān fǔ tā gēn tā shuō huà zhè
都紧紧地抱着温迪克，安抚它，跟它说话。这
ràng wǒ xiǎng qǐ gé luò lì yà dāng tā tīng dào nà xiē píng zi xiāng hù
让我想起格洛丽亚：当她听到那些瓶子相互
zhuàng jī shí nà xiē yōu líng xiǎo shēng tǎo lùn tā céng zuò guo de cuò
撞击时，那些幽灵小声讨论她曾做过的错
shì shí shuí lái ān fǔ tā ne wǒ xiǎng dào yí gè hǎo bàn fǎ jiù
事时，谁来安抚她呢？我想到一个好办法，就
shì niàn yì běn shū gěi tā tīng niàn de hěn dà shēng dà dào kě yǐ bǎ
是念一本书给她听，念得很大声，大到可以把
nà xiē yōu líng xià pǎo
那些幽灵吓跑。

yì tiān wǒ lái dào tú shū guǎn wèn fēn nī xiǎo jiě fēn nī
一天，我来到图书馆问芬妮小姐：“芬妮

小姐，我有一个大人朋友，她的眼睛不好，我想念本书给她听。你可以推荐一本吗？"

"当然可以。"芬妮小姐说，"我有很多书呢。让我想想，《飘》怎么样？"

"那是讲什么的？"我问她。

"哦，"芬妮小姐说，"这是一本讲美国南北战争的书。那是一场可怕的战争。我的曾祖父参加过那场战争，那时他还是个男孩。"

"你的曾祖父？"

"是的，他叫里德莫斯。这又是一个故事。"

温迪克打了一个大哈欠，叹了一口气，

080

"咚"地躺下去。我敢打赌它听得懂这句话

"这又是一个故事。"这表示短时间内我们不

会离开。

"赶快给我讲嘛,芬妮小姐。"我央求她。

这时,门"砰"的一声响,阿曼达进来

了。温迪克坐起来,盯着她看,试着跟她笑,可

是她不理它,它只好又躺回去。

"我想再借一本书。"阿曼达说着,把书

丢在芬妮小姐的书桌上。

"嗯……"芬妮小姐说,"要是你不介意,

我正要跟欧宝讲一个我曾祖父的故事。你要

一起听吗?"

阿曼达叹了好大一口气，故意不看我，假装没兴趣听。我看得出来，其实她很想听。

"过来坐吧。"芬妮小姐说。

"我站着就好，谢谢。"阿曼达说。

"好吧。"芬妮小姐耸耸肩，"我讲到哪里了？哦，对了，里德莫斯，那时他才十四岁，长得又高又壮。他的爸爸被列在征召名单上，而里德莫斯也嚷嚷着要去从军。"芬妮小姐环顾图书馆一圈，小声地说，"男人和男孩都喜欢打仗。他们以为打仗是很好玩儿的事，历史并没有让他们得到教训。"

"言归正传，里德莫斯谎报年龄入伍当

082

兵。他长得很高大，军队收了他，他想当一名英雄，可是很快他就发现了真相。"芬妮小姐闭着眼睛摇摇头。

"什么真相？"

"战争就像地狱。"芬妮小姐还是闭着眼睛说，"活生生的地狱。"

"地狱是诅咒人的话。"阿曼达说。我偷看她一眼。她的眉头皱得比平常更紧了。

"战争——"芬妮小姐仍然闭着眼睛说，"本来就是一个被诅咒的词。"她摇摇头睁开眼睛，指指我，又指指阿曼达说："你们根本无法想象那样的场面。"

"我们是想象不到。"阿曼达和我异口同声地说。

"里德莫斯总是饿着肚子,满身是跳蚤、虱子。冬天他冷得几乎要冻死;夏天呢,世上没有比夏日打仗更糟的事了,全身都臭得要命。唯一能让里德莫斯忘记饿、痒、热、冷这些痛苦的,就是受伤的时候。他受了好几次伤。"

"他被打死了吗?"我问芬妮小姐。

"天哪!"阿曼达说着,转转她的眼睛。

"欧宝,"芬妮小姐说,"如果他被打死,我现在就不会在这里跟你讲这个故事了,我根本就不会存在。他没死，而是变成了一个大人。
等战争结束后，他回到家，家却已经没了。"

"他的家呢？"我问。

"你们知道发生了什么吗？"芬妮小姐叫得好大声，把我们都吓了一大跳，"北方佬把它烧了。真的，烧成了平地。"

"那他的姐妹呢？"阿曼达问。

"死了。死于伤寒。"

"天哪！"阿曼达小声地说。

"他的妈妈呢？"我轻声问。

"也死了。"

"他的爸爸呢？"阿曼达问。

"死在了战场上。"

"里德莫斯变成孤儿了?"

"是的。"芬妮小姐说,"里德莫斯变成了一个孤儿。"

"这是个令人伤心的故事。"我说。

"的确是。"阿曼达说。我很惊讶她居然也有跟我意见相同的时候。

"我还没讲完呢。"芬妮小姐说。

温迪克打起呼噜来,我用脚轻轻推它一下,想让它安静一点儿。我想听下面的故事,这很重要,我想知道里德莫斯在失去所有的亲人后如何继续活下来。

里德莫斯·洛丹

"里德莫斯由战场回来，"芬妮小姐继续讲故事，"发现只剩下他一个人，他坐在以前的家门口像个婴儿一样一直哭。他思念他的爸爸、妈妈、姐妹，思念从前的一切。等他哭完了，他有一种很奇特的感觉，他想要一点儿甜的东西，他想吃一块糖。里德莫斯这时终于了解到整个世界是一个大悲剧，充满了丑陋，现在他想做的是替世界加一点儿甜美的事物。于是他做了个决定。他站起来，重新出发，边走边计划着，来到了佛罗里达。"

"计划什么？"我问。

"盖一家糖果工厂。"

"他真的盖了吗？"我又问。

"当然，现在还坐落在费尔路上。"

"就是那栋老建筑物？"阿曼达说，"那间阴森森的大房子？"

"才不阴森呢。"芬妮小姐说，"那是我家事业的发源地。我曾祖父就是在那儿发明了'里德莫斯·洛丹'——世界有名的糖果。不过我们已经不生产这种糖果了。这个世界对'里德莫斯·洛丹'已经没了胃口，但我这里还有一些。"她打开书桌的抽屉，每一个抽屉里都是糖。

"你们想来点糖吗？"芬妮小姐问道。

"好的，谢谢。"我们俩同时说。

芬妮小姐给了我们两颗，我打开包装纸，慢慢地品尝。"里德莫斯·洛丹"很好吃，那味道像草汁，又像草莓，还有一种我说不出来的味道，一种令我伤心的味道。我看看阿曼达，她含着糖在想事情。

"你喜欢吗？"芬妮小姐问我。

"喜欢。"我告诉她。

"你呢,阿曼达?"

"喜欢。"她回答,"但它让我想起一些伤心的事。"

我想,这世上有什么好让阿曼达伤心的事?她又不是新搬来的,而且她有爸爸妈妈,我在教堂见过他们。

"糖里面有一种秘方。"芬妮小姐说。

"是什么?"我问道。

"悲伤。"芬妮小姐说,"不是每个人都尝得出来,小孩子更尝不出来了。"

"我吃出来了。"我说。

“我也是。”阿曼达说。

“这么说——”芬妮小姐说，“你们两个都有伤心事吧？”

“我搬离了瓦特里，离开了所有的朋友。”我说，“我妈妈在我很小的时候就离开了，我几乎记不得她的样子了。”

“它让我想起卡尔。”阿曼达说，听她的声音好像快要哭出来了，“我得走了。”

她站起来，像逃难似的跑出图书馆。

“谁是卡尔？”我问芬妮小姐。

她摇摇头说：“悲伤，这是一个充满悲伤的世界。”

"可悲伤是怎样放进糖果里的呢?"我问她,"又怎样让人品尝出来呢?"

"那是秘密。"她说,"所以里德莫斯才赚了大钱。他发明了一种可以同时品尝到甜美与悲伤的糖果。"

"我可以带几颗给我的朋友们吗?"

"你想要多少都可以。"芬妮小姐说。

我的口袋里装满了"里德莫斯·洛丹",我向芬妮小姐道了谢,借了《飘》,然后叫温迪克起来。我骑车经过邓拉普家,兄弟俩正在前院踢足球。我正要向他们吐舌头,突然想到芬妮小姐讲战争像地狱,想到格洛丽

092

亚说不要太挑剔他们，于是向他们挥了挥

手。他们站在那儿怔怔地看着我，也向我

挥手。

　　我用力挥手，想到阿曼达跟我一样喜

欢听好听的故事，觉得真好。但我还在想——

谁是卡尔？

甜与悲

我告诉格洛丽亚我要给她两个惊喜，先递给她一颗"里德莫斯·洛丹"，她拿在手上摸了一会儿。"糖果？"她问道。

"是的。"我说，"它叫'里德莫斯·洛丹'。"

"天哪！我记得这种糖，以前我爸爸很喜欢。"她把糖果放进嘴里，点点头。

"你喜欢吗？"我问她。

"嗯……"她慢慢地点点头，"尝起来很

甜,但有一种与人离别的滋味。"

"你尝到伤心的味道了吗?"我问。

"就是那种感觉。"她说,"尝起来令人伤心,可是又很甜。第二个惊喜是什么?"

"一本书。"我说,"我准备念书给你听。这本书是《飘》。芬妮小姐说这是一本很棒的书,跟南北战争有关。我们要花很长的时间念这本书,总共有一千零三十七页。"

"哇!"格洛丽亚说,"那我们最好马上开始。"于是,我念了《飘》的第一章给格洛丽亚听。等我念完,她说那是她得到的最好的惊喜,已经等不及想听第二章了。

那天晚上，我也给了牧师一颗"里德莫斯·洛丹"。

"这是什么？"他问。

"这是芬妮小姐曾祖父发明的糖，叫作'里德莫斯·洛丹'。"

牧师打开糖纸，把糖放进嘴里，过了一会儿，他开始摸鼻子，并点点头。

"你喜欢吗？"我问他。

"有一种很特殊的味道……"

"草汁吗？"我问。

"还有别的。很奇怪。"

我看得出牧师越想越远。"尝起来有

点儿忧郁。"他说。

"忧郁？忧郁是什么？"

"伤心。"牧师又摸摸鼻子说，"它让我想起了你的妈妈，有种令人伤心的感觉。"他叹了一口气说，"这批糖一定是没做好。"

"才不是呢！"我坐直身子对他说，"这糖本来就是这种滋味。里德莫斯从战场回来，发现亲人都死了。他非常伤心，想要一点儿甜的东西，于是盖了一间糖果工厂，生产了'里德莫斯·洛丹'。他把所有的悲伤都放进了糖里。"

"是这样啊。"牧师清清喉咙，我以为他要

说什么重要的事,可他却说,"欧宝,我前几天和斯蒂威的妈妈聊天儿,她说你叫斯蒂威'光头宝宝'。我觉得你应该向他道歉。"

"为什么?"

"他只是想跟你做朋友而已。"

"他才不想跟我做朋友呢。"

"有些人喜欢用比较奇怪的方式交朋友。"他说,"你去道歉就是了。"

"好吧!"我答应他。我正好想到卡尔。"爸爸,你知道阿曼达家有一个叫卡尔的吗?"

"卡尔是她的弟弟,去年淹死了。"

"他死掉啦?"

"对。"牧师说,"他们到现在还很伤心。"

"他几岁?"

"五岁。"牧师说,"才五岁呀!"

"爸爸。"我又说,"为什么你从不跟我提起这些事呢?"

"我觉得我们不应该拿别人家的不幸当闲聊的话题,所以我不跟你讲这些事。"

"可我必须知道呀。"我说,"这样我就明白为什么阿曼达老是皱着眉头了。"

"晚安,欧宝。"牧师跟我说。他弯下身亲了我一下,我闻到他呼出的气有草汁、草莓和伤心掺杂在一起的味道。他拍拍温迪克的头，然后站起来关掉灯，把门关好。

我没有马上睡着。我躺在床上想：

生命就像"里德莫斯·洛丹"，甜与苦总是掺杂在一起，要把它们分开很难。真令人困惑！我起来打开一颗"里德莫斯·洛丹"含在嘴里，想到妈妈不要我，那是一种忧郁的感觉。

我又想到阿曼达和卡尔，也让我觉得忧郁。可怜的卡尔，他跟"小不点儿"一样大，却再也不能庆祝他六岁的生日了。

奥蒂斯的往事

转天早上，我和温迪克去宠物店打工，带了一颗"里德莫斯·洛丹"给奥蒂斯。

"一个小礼物。"我说。

"哦？"他打开"里德莫斯·洛丹"，放进嘴里。过了一会儿，泪珠从他的脸颊上滑落下来。

"谢谢你。"他说。

"你喜欢吗？"我问他。

他点点头说：“很好吃，可让我想起在监狱里的感觉。”

在勇气消失前，我赶紧问：“奥蒂斯，你为什么去坐牢？你杀人了吗？”

“才没有。”

“那你抢劫了吗？”

“也不是。”他含着糖，低头看着鞋尖。

“你不必告诉我。”我说，“我只是好奇。”

“全是为了音乐。”他说。

“那是怎么回事？”我问他。

“因为我不肯停止弹吉他。以前我在街上弹，有人会投钱给我。不过我不是为了钱，而是有听众弹起来感觉更棒。后来警察来了。他们不准我弹,说我这样违法。我依旧弹个不停,他们就要把我铐起来。"他叹了口气。

"然后呢?"我问他。

"我就打了他们。"他小声回答。

"你打了警察?"

"嗯,我把其中一个打昏了,然后就被送去坐牢。后来他们放我出来,却规定我以后再也不准在街上弹吉他。"他抬头瞅了我一眼,又马上低头看着自己的靴子,"所以,我只有在这里弹给动物和老板娘听。她在报上看过我的新闻,她说我可以在这里弹给动物听。"

“你也弹给我、温迪克和‘小不点儿’听。”

“对。”他同意，“可你们不在街上。”

“谢谢你告诉我这些，奥蒂斯。”

“没关系。”他说。

“小不点儿”来找我，我给了她一颗“里德莫斯·洛丹”。她一下就吐了出来，说不好吃，这糖让她尝到一种不能养狗的伤心感觉。

那天我扫地扫得很慢，我想多陪陪奥蒂斯，免得他一个人孤单。有时候好像全世界的人都很孤单。我想到我妈妈，她就像牙齿掉了之后的那个洞，你会一直去舔它。日复一日，我的心总是飞向那个属于她的洞。

wǒ gào su gé luò lì yà ào dì sī bèi zhuā qù zuò láo de yuán
我告诉格洛丽亚奥蒂斯被抓去坐牢的原

yīn tā chà diǎnr bǎ jiǎ yá dōu xiào diào le āi yō tā xiào
因，她差点儿把假牙都笑掉了。"哎哟，"她笑

wán hòu shuō zhè zhēn shì wēi xiǎn de fàn zuì xíng wéi
完后说，"这真是危险的犯罪行为！"

tā hěn gū dān wǒ gēn tā shuō tā zhǐ shì xiǎng tán jí
"他很孤单。"我跟她说，"他只是想弹吉

tā gěi rén jia tīng
他给人家听。"

wǒ zhī dào bǎo bèi tā shuō
"我知道，宝贝。"她说。

nǐ hái xiǎng zhī dào qí tā de shì ma jì de wǒ gēn nǐ shuō
"你还想知道其他的事吗？记得我跟你说

guo yí gè lǎo zhòu zhe méi de nǚ hái ā màn dá ma tā de dì di qù
过一个老皱着眉的女孩阿曼达吗？她的弟弟去

年淹死了，才五岁，跟'小不点儿'一样大。"

格洛丽亚不再笑了，点点头。"我记得，"她说，"我听说有一个小男孩淹死了。"

"所以阿曼达才老皱着眉，她想念弟弟。"

"一定是。"格洛丽亚同意我的说法。

"你说每个人都在想念另一个人吗，就像我想念妈妈一样？"

"嗯……"格洛丽亚闭上眼睛说，"我相信有时候整个世界都有一颗破碎的心。"

我无法忍受去想那些我们无法改变的伤心事，于是我说："你想继续听《飘》吗？"

"当然，"格洛丽亚说，"我已经等了一整

天。让我们看看郝思嘉现在在干什么。"

我打开《飘》开始念，书里郝思嘉正在期待一个有音乐的烤肉聚会。这倒是个好主意。

"就这么办！"我合上书说。

"嗯？"格洛丽亚问。

"办一个聚会。"我跟她说，"我们可以邀请芬妮小姐、牧师、'小不点儿'和奥蒂斯，这样奥蒂斯就可以弹吉他给大家听了。"

"我们是谁？"格洛丽亚问。

"就是我和你呀。我们可以做点食物，在你的院子里举行聚会。比如花生酱三明治，把它切成三角形，看起来比较漂亮。"

"老天！我不知道是不是全世界的人都像我们和这只狗一样这么喜欢花生酱三明治。"

"没关系。"我说，"我们还可以做鸡蛋沙拉三明治，大家都会喜欢的。"

"也许吧！"格洛丽亚把手放在温迪克的头上，对着我微笑。

"谢谢你。"我跑过去抱住她。温迪克摇摇尾巴试图挤进我们中间，它向来不甘被冷落。

"这将是一个最棒的聚会。"我说。

"可你要答应我一件事。"格洛丽亚说，"你

bì xū yāo qǐng dèng lā pǔ hé sī dì wēi
必须邀请邓拉普和斯蒂威。"

tā men liǎng gè
"他们 两个？"

duì nǐ bù qǐng tā men wǒ men jiù bú bàn jù huì
"对，你不请他们，我们就不办聚会。"

hǎo ba wǒ dā ying le
"好吧！"我答应了。

wǒ mǎ shàng kāi shǐ yāo qǐng kè rén dì yī gè jiù shì mù shī
我马上开始邀请客人，第一个就是牧师。

bà ba wǒ hé gé luò lì yà yào bàn yí gè jù huì
"爸爸。我和格洛丽亚要办一个聚会。"

nà hěn hǎo ya nǐ men yí dìng huì wán de hěn gāo xìng
"那很好呀！你们一定会玩得很高兴。"

bà ba nǐ yě zài bèi yāo qǐng míng dān shang wǒ shuō
"爸爸，你也在被邀请名单上。"我说。

ò mù shī mō mō bí zi shuō wǒ zhī dào le
"哦，"牧师摸摸鼻子说，"我知道了。"

nǐ huì lái ma wǒ wèn tā
"你会来吗？"我问他。

tā tàn le yì kǒu qì shuō yīng gāi kě yǐ ba
他叹了一口气说："应该可以吧！"

fēn nī xiǎo jiě mǎ shàng jiù jiē shòu le yāo qǐng jù huì
芬妮小姐马上就接受了邀请。"聚会？！"

她拍着手说。

"是呀。"我补充道,"有点儿像《飘》里面的烤肉聚会。只是没有那么多人,而且我们准备的是鸡蛋沙拉三明治,没有烤肉。"

"听起来棒极了。"芬妮小姐指指后面,小声地说,"也许你也可以邀请阿曼达。"

"我觉得她不是很喜欢我。"我说。

"去问问,看她怎么说。"芬妮小姐说。

我走到图书馆后面,用最有礼貌的声音问阿曼达是不是可以来参加我的聚会。她有点儿紧张地说:"聚会?"

"是的。"我回答,"你一定会喜欢的。"

她张大嘴看着我。"好呀。"过了一会儿,

她说,"我是说我很想去,谢谢你。"

我又去邀请了邓拉普和斯蒂威两兄弟。

"我们不去。"斯蒂威说,"那个巫婆会用

她的大锅把我们煮了。"

"不管你们来还是不来。"我说,"反正我

已经邀请你们了。"

"别听他的,我们一定会去的。"邓拉普跟

我点点头笑着说。

当我邀请"小不点儿"时,她兴奋得不得

了。"这只狗会去吗?"她两手抱着温迪克,因

为太用力了,温迪克的眼睛几乎要被挤出来

le
了。

huì ya
"会呀！"

wǒ zuì hòu yāo qǐng de rén shì ào dì sī   tā jū rán shuō
我最后邀请的人是奥蒂斯，他居然说：

bú yòng   xiè xie
"不用，谢谢。"

wèi shén me   wǒ wèn tā
"为什么？"我问他。

wǒ bù xǐ huan jù huì   tā shuō
"我不喜欢聚会。"他说。

bài tuō la   wǒ qǐng qiú tā   nǐ bù lái   jù huì jiù bàn
"拜托啦。"我请求他，"你不来，聚会就办

bù chéng le   zhǐ yào nǐ lái   wǒ miǎn fèi tì nǐ dǎ sǎo yí gè xīng
不成了。只要你来，我免费替你打扫一个星

qī   zhēn de
期，真的。"

yí gè xīng qī bú yòng fù qián   tā tái tóu kàn wǒ
"一个星期不用付钱？"他抬头看我。

shì de   xiān sheng   wǒ kěn dìng de huí dá
"是的，先生。"我肯定地回答。

wǒ bú yòng hé rén jiāo tán   duì bú duì
"我不用和人交谈，对不对？"

"对。"我说，"你不用。不过你最好把吉他带来，可以弹吉他给我们听。"

　　"也许吧。"他又赶紧低下头去看他的靴子，试着掩饰脸上的微笑。

　　"谢谢你。"我说，"谢谢你答应参加聚会。"

扫兴的雷阵雨

当天下午，我们在格洛丽亚的厨房准备鸡蛋沙拉三明治，温迪克一直坐在厨房地板上，摇着尾巴盯着我们看。

"那只狗以为我们在替它做三明治呢！"格洛丽亚说，"这些不是给你的！"可她趁我没注意，给了温迪克一块不带牙签的三明治。

我们把彩色皱纹纸绕在树上，把沙子装在小牛皮纸袋里，再把蜡烛插在沙子里，然后把蜡烛点亮，格洛丽亚的院子顿时美如仙境。我真希望妈妈也能来参加这个聚会。

芬妮小姐第一个到达。她穿了一件闪亮的红色格子裙，还穿了一双高跟鞋，走起路来晃来晃去。她带来好大一罐"里德莫斯洛丹"。

"谢谢！"我把罐子放在餐桌上，然后介绍芬妮小姐和格洛丽亚认识。

然后，"小不点儿"来了，手里拿着一些狗狗图片。"你可以用来布置院子。"说完，她就开始把狗狗图片贴在树上、椅子上和桌子上。

这时，牧师出现了。他穿了件外套，还戴了领结，看起来很正式。他跟芬妮小姐和格洛丽亚握手，还拍拍"小不点儿"的头。温迪克一直摇着尾巴站在人群中，摇得很用力。

阿曼达来了，她看起来很害羞，不像平常那样凶巴巴的。我很想告诉她我知道卡尔的事，想告诉她我知道失去亲人的感受，可我什么都没说。我们站在那里互相微笑，看起来有点儿尴尬。

接下来，一个尖锐的声音传来："佳畜得是只漂亮的鸟！"

温迪克的耳朵马上竖起来，我四下张

118

望，可是没看见佳畜得，也没看见奥蒂斯。

"我马上回来。"我对大家说。我和温迪克

一起跑到门口。果然，奥蒂斯站在人行道上，

背着吉他，肩头站着佳畜得，手里抱着一罐我

这辈子所见过的最大的酸黄瓜。

"狗！"佳畜得尖叫着飞到了温迪克的头

上。

"没关系，奥蒂斯，人不多。"我跟他说。

奥蒂斯举起酸黄瓜："我带了酸黄瓜。"

"我看见了。"我说，"我们正需要酸黄

瓜，好搭配鸡蛋沙拉三明治。来吧！"我说着

转身走回院子，奥蒂斯也跟了进来。我赶紧介

shào tā hé mù shī rèn shi miǎn de tā táo pǎo le
绍他和牧师认识，免得他逃跑了。

bà ba wǒ shuō zhè shì ào dì sī tā guǎn lǐ chǒng
"爸爸。"我说，"这是奥蒂斯。他管理宠

wù diàn jí tā yě tán de hěn hǎo
物店，吉他也弹得很好。"

"幸会！幸会！"牧师伸手向奥蒂斯说。

"谢谢！"奥蒂斯有点儿不知所措地回答。

我继续介绍他认识芬妮小姐和阿曼达，然后是格洛丽亚。格洛丽亚握着他的手对他微笑。奥蒂斯看着她的眼睛，笑得很开心。

"我带了酸黄瓜。"奥蒂斯对她说。

"我真高兴。"她回答，"没有酸黄瓜，就不像个聚会。"

奥蒂斯低头看着酸黄瓜，脸涨得通红。

"欧宝。"格洛丽亚叫我，"那两个男孩子什么时候来呀？"

"我不知道。"我耸耸肩说，"我告诉他们

时间了！"

"这样吧。"格洛丽亚说，"我们有鸡蛋沙拉三明治、饮料、酸黄瓜、狗狗图片、'里德莫斯·洛丹'，还有一位牧师，他可以为这个聚会做祷告。"格洛丽亚说完看了看牧师。

牧师向她点点头，清清喉咙说："万能的主，谢谢您给我们一个温暖的夏日夜晚、烛光和美食。但最要感谢您的是，让我们这么多朋友欢聚在一起。我们衷心感激您给我们每个人不同的天赋与才能，我们会像您爱我们一样去爱每一个人。奉主耶稣之名，阿门。"

“阿门 。”格洛丽亚说 。

“阿门 。”我轻声说 。

“佳畜得。”佳畜得随声附和。

“可以吃东西了吗?”“小不点儿”问 。

温迪克打了一个喷嚏。

突然,远处传来轰隆隆的雷声 。

“天气预报没说会下雨呀。”格洛丽亚说 。

“我穿的可是丝裙呀。”芬妮小姐说,“我可不能被淋湿。”

“也许我们应该进屋里去。”阿曼达说 。

牧师抬头看看天空 。

就在这时,雨倾盆而下。

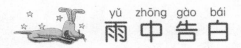

雨中告白

"赶快拿三明治!"格洛丽亚向我大叫,"还有饮料。"

"我去拿狗狗图片。""小不点儿"边叫边把图片从树上、椅子上揭下来。我抓起鸡蛋沙拉三明治,牧师抓起饮料,大家赶紧跑进厨房。阿曼达扶着芬妮小姐,我扶着格洛丽亚。而奥蒂斯却还抱着那罐酸黄瓜站在雨中。

"奥蒂斯!"我隔着雨幕对他大喊,"过来呀,

124

wǒ men dōu jìn wū le
我们都进屋了。"

děng dà jiā dōu jìn dào chú fáng　ā màn dá hé fēn nī xiǎo jiě
等大家都进到厨房，阿曼达和芬妮小姐

biān xiào biān xiàng gǒu yí yàng dǒu lou shēn shang de shuǐ
边笑边像狗一样抖搂身上的水。

zhēn shì qīng pén dà yǔ　fēn nī xiǎo jiě shuō
"真是倾盆大雨。"芬妮小姐说。

zhè cháng yǔ lái de kě zhēn tū rán　mù shī shuō
"这场雨来得可真突然。"牧师说。

gǒu　jiā chù dé gā gā de jiào le yì shēng
"狗！"佳畜得嘎嘎地叫了一声。

āi yā zāo le　wǒ huán shì le chú fáng yì zhōu
"哎呀，糟了！"我环视了厨房一周。

bié dān xīn　xiǎo bu diǎnr　shuō　wǒ yǐ jīng bǎ gǒu
"别担心。""小不点儿"说，"我已经把狗

gǒu tú piàn dōu shōu hǎo le　kàn　quán zài zhèr
狗图片都收好了，看，全在这儿。"

wēn dí kè zài nǎr　wǒ dà jiào dào　wǒ yì xīn zhǐ
"温迪克在哪儿？"我大叫道，"我一心只

xiǎng zhe jù huì　què wàng le tā zuì pà dǎ léi de
想着聚会，却忘了它最怕打雷的。"

ōu bǎo　mù shī shuō　tā kě néng hái zài yuàn zi li
"欧宝，"牧师说，"它可能还在院子里。

125

来，我跟你一起去找它。"

"等一下。"芬妮小姐说，"你们得带上
手电筒和雨伞。"

可我等不及了，我跑到院子里，找遍了
每一张椅子下面和所有的树丛。我大声呼

喊它的名字。我好想哭。都是我的错，我应该

紧紧抱着它才对，可是我忘了。

"欧宝，你的客人来了。"牧师喊我。

只见牧师、格洛丽亚站在阳台上，旁边
还有邓拉普两兄弟。

"快回来！"格洛丽亚对我喊道。

我走回阳台，她把手电筒递给我说："跟
这两个男孩说你很高兴他们能参加聚会，等
你找到狗后，马上就会回来。"

"嗨！"我说，"谢谢你们来参加聚会，可我
要出去找温迪克，找到就回来。"

"需要我帮忙吗？"邓拉普问。

我摇摇头，强忍着不哭出来。

"过来，孩子。"格洛丽亚把我拉到身旁，小声在我耳边说，"你没办法抓住一个想要远走的东西，懂吗？只要在拥有它的时候爱它就是了。"她紧紧地抱着我。

"祝你好运！"我和牧师走进雨中时，格洛丽亚和芬妮小姐一起高声喊道。"小不点儿"也在喊："那只狗聪明得很，绝不会丢的。"

我回头看去，阳台的灯光投射在邓拉普的光头上，那景象让我好难过。他看见我回头，赶紧向我挥手，可是我没有理他。

雨下得很大，牧师和我边走边呼唤着温

128

迪克。我边哭边喊，边喊边哭，可温迪克始终没有出现。我们走遍了市中心、图书馆和"佳畜得"宠物店。我们走到拖车社区，仔细查看拖车下面。我们又一路走到展怀教会和高速公路旁，一辆辆车子从我们身边飞驰而过。

"爸爸，如果它被车撞了怎么办？"

"欧宝，"牧师回答，"我们没办法担心可能发生的事。现在我们能做的，就是继续找。"

我脑子里开始盘算十件关于温迪克的事，我可以把这十件事写在海报上，贴在社区里，大家可以一起帮忙找它。

dì yī jiàn　　tā hài pà dǎ léi　shǎn diàn
第一件，它害怕打雷、闪电。

dì èr jiàn　　tā xǐ huan liě zuǐ dà xiào
第二件，它喜欢咧嘴大笑。

dì sān jiàn　　tā pǎo de hěn kuài
第三件，它跑得很快。

dì sì jiàn　　tā huì dǎ hū lu
第四件，它会打呼噜。

dì wǔ jiàn　　　tā huì zhuā lǎo shǔ　kě shì bú huì nòng sǐ tā
第五件，它会抓老鼠，可是不会弄死它

men
们。

dì liù jiàn　　tā xǐ huan hé rén dǎ jiāo dao
第六件，它喜欢和人打交道。

dì qī jiàn　　tā xǐ huan huā shēng jiàng
第七件，它喜欢花生酱。

dì bā jiàn　　tā bù xǐ huan jì mò
第八件，它不喜欢寂寞。

dì jiǔ jiàn　　tā xǐ huan zuò zài shā fā shang
第九件，它喜欢坐在沙发上。

dì shí jiàn　　tā bú jiè yì shàng jiào táng
第十件，它不介意上教堂。

wǒ yì zhí zài nǎo zi li chóng fù zhè shí jiàn shì　jiù xiàng láo
我一直在脑子里重复这十件事，就像牢

牢记住妈妈的十件事一样。同时，我有了一个

从没想过的念头：这十件事并不能完全代

表温迪克，如同那十件事不能完全代表妈妈

一样。这个想法让我哭得更伤心了。

　　我和牧师找了好久好久，他终于跟我说

放弃吧。

　　"可是，爸爸。"我说，"温迪克一定在某

个地方，我们不能不管它。"

　　"欧宝，"牧师叫我，"我们几乎找遍了所

有的地方，该回去了。"

　　"不！要走你自己走，我还要继续找。"

　　"欧宝，"牧师温柔地说，"我们放弃吧。"

"你老是放弃！"我大叫，"你老是把头缩在乌龟壳里。我敢打赌妈妈走的时候你没去找过她，我敢打赌你拦也没拦就让她走了。"

"宝贝，"牧师叫我，"我试了，我拦不住她。你以为我不希望她留下来吗？你以为我不想她吗？"他把双手摊开，然后又颓然垂下。"我试过了。"他喃喃地说，"我试过了……"

接下来发生了一件我不敢相信的事——牧师哭了。他的肩头上下颤动，鼻子也塞住了。"你要相信，失去温迪克我跟你一样难过。"他说，"我爱那只狗。我也爱它呀！"

"爸爸！"我跑过去抱着他。他哭得很厉害，全身抖个不停。"没事的。"我哄着他，"没关系的，嘘……"我把他当作一个受惊的孩子，安慰他说："一切都会过去的。"过了一会儿，牧师停止了颤抖，我还是紧紧抱着他。最后我鼓足勇气，问了他一个我一直想问的问题。

"你觉得她还会回来吗？"我小声地问。

"我想不会。"牧师说，"我曾经希望过、祈祷过、梦想过好多年。不过我想她再也不会回来了。"

"格洛丽亚说，我们没办法抓住一个想要远走的东西，只要在拥有它的时候爱它就行了。"

"她说得对。"牧师说。

"我不想失去温迪克。"我说。

"你知道吗?"牧师说,"我突然明白了一件事,欧宝。上次我跟你说,你妈妈走的时候一件东西也没有留下来,其实我忘了,有一样非常重要的东西她没带走。"

"什么?"我问。

"你。"他说,"感谢上帝!她把你留给了我。"说着他把我紧紧抱住。

"我也很高兴拥有你。"我告诉他,这是真心话。我牵着他的手,开始往回走,一边走一边吹着口哨儿叫着温迪克。

jīng xǐ
惊 喜

wǒ men hái méi huí dào gé luò lì yà jiā　　gé zhe yì tiáo jiē jiù
我们还没回到格洛丽亚家，隔着一条街就

tīng dào yīn yuè shēng le
听到音乐声了。

bù zhī dào tā men zěn me yàng le　　bà ba shuō
"不知道他们怎么样了。"爸爸说。

yí jìn chú fáng　　zhǐ jiàn ào dì sī zhèng zài tán jí tā　　fēn nī
一进厨房，只见奥蒂斯正在弹吉他，芬妮

xiǎo jiě hé gé luò lì yà xiào mī mī de zuò zhe chàng gē　　xiǎo bu
小姐和格洛丽亚笑眯眯地坐着唱歌，"小不

diǎnr　　　ā màn dá　　dèng lā pǔ hé sī dì wēi zuò zài chú fáng dì
点儿"、阿曼达、邓拉普和斯蒂威坐在厨房地

bǎn shang　　pāi shǒu hè zhe jié pāi　　kàn shàng qù hěn yú kuài　　wǒ zhēn
板上，拍手和着节拍，看上去很愉快。我真

bù gǎn xiāng xìn　　　wēn dí kè diū le　　tā men hái néng wán de zhè
不敢相信——温迪克丢了，他们还能玩得这

me gāo xìng
么高兴。

wǒ men méi zhǎo dào tā   wǒ duì zhe tā men dà shēng shuō
"我们没找到它。"我对着他们大声说。

yīn yuè tíng xià lái le   gé luò lì yà kàn zhe wǒ shuō   hái
音乐停下来了，格洛丽亚看着我说："孩

zi   wǒ men zhī dào nǐ zhǎo bú dào tā   yīn wèi tā yì zhí dōu dāi zài
子，我们知道你找不到它，因为它一直都待在

zhèr
这儿。"

tā ná qǐ guǎi zhàng   chuō chuō yǐ zi dǐ xia   chū lái
她拿起拐杖，戳戳椅子底下。"出来

ba   wǒ tīng dào le hū xī shēng hé yì shēng tàn xī
吧！"我听到了呼吸声和一声叹息。

tā shuì zháo le   tā shuō   tā lèi huài le
"它睡着了。"她说，"它累坏了。"

tā yòu chuō le chuō   wēn dí kè zhè cái cóng yǐ zi dǐ xia zuān
她又戳了戳，温迪克这才从椅子底下钻

chū lái   dǎ le yí gè dà hā qian
出来，打了一个大哈欠。

wēn dí kè   wǒ dà shēng hǎn zhe tā de míng zi
"温迪克！"我大声喊着它的名字。

wēn dí kè duì wǒ yáo yáo wěi ba   liě zuǐ shǎ xiào   wǒ chōng
温迪克对我摇摇尾巴，咧嘴傻笑。我冲

向它，跪在地板上 双 手抱住它。

"你跑到哪儿去了？"我问它。

它若无其事地打了一个大哈欠。

"你们怎么找到它的？"我问大家。

"是这样的。"格洛丽亚说，"我们坐在这里等你们回来，我终于让邓拉普和斯蒂威相信我不是一个可怕的巫婆……"

"她不是巫婆。"斯蒂威摇摇他的大光头，看来有点儿失望。

"对呀。"邓拉普笑着说，"如果她是的话，现在已经把我们变成癞蛤蟆了。"

"总之我们讲了好多关于巫婆的事，"格

洛丽亚说，"然后芬妮说我们为何不边听音乐边等你们回来。于是奥蒂斯就开始弹吉他。哇！他没有一首歌不知道的。即使他没听过，只要你哼给他听，他马上就会弹出来。他真是个音乐天才。"格洛丽亚停下来对奥蒂斯笑了笑，奥蒂斯也对她笑了笑。他看起来信心十足。

"再继续讲嘛。""小不点儿"说。

"然后呢，"格洛丽亚说，"芬妮和我开始回想所有我们小时候会唱的歌。奥蒂斯弹吉他，我们唱歌。"

"然后就听到一声好大的喷嚏声。""小

不点儿"接着说。

bu diǎnr   jiē zhe shuō
不 点 儿"接 着 说。

　　　　méi cuò   gé luò lì yà shuō   yǒu rén dǎ le gè dà pēn
　　　　"没 错。"格 洛 丽 亚 说,"有 人 打 了 个 大 喷

tì   bú guò bú shì chú fáng li de rén   suǒ yǐ wǒ men dào chù kàn
嚏,不 过 不 是 厨 房 里 的 人,所 以 我 们 到 处 看,

shēng pà jiā li cáng le xiǎo tōu   wǒ men zhǎo le bàn tiān méi zhǎo dào
生 怕 家 里 藏 了 小 偷。我 们 找 了 半 天 没 找 到,

yòu kāi shǐ chàng gē   méi guò yí huìr   yòu tīng dào hǎo dà yì shēng
又 开 始 唱 歌。没 过 一 会 儿,又 听 到 好 大 一 声

pēn tì shēng   hǎo xiàng shì cóng wǒ wò shì li chuán chū lái de   wǒ jiù
喷 嚏 声,好 像 是 从 我 卧 室 里 传 出 来 的。我 就

jiào ào dì sī guò qù kàn kàn   nǐ cāi tā zhǎo dào le shuí
叫 奥 蒂 斯 过 去 看 看,你 猜 他 找 到 了 谁?"

　　　　wǒ yáo yáo tóu
　　　　我 摇 摇 头。

　　　　wēn dí kè   xiǎo bu diǎnr   dà shēng shuō
　　　　"温 迪 克!""小 不 点 儿"大 声 说。

　　　　nǐ nà zhī gǒu duǒ zài wǒ de chuáng dǐ xia   zài nàr   yí ge
　　　　"你 那 只 狗 躲 在 我 的 床 底 下,在 那 儿 一 个

jìnr   de dǎ duō suo   kě tā yì tīng dào ào dì sī tán jí tā   jiù
劲 儿 地 打 哆 嗦。可 它 一 听 到 奥 蒂 斯 弹 吉 他,就

xiào de xiàng gè xiǎo shǎ guā   xiào de tài lì hai le   jiù dǎ qǐ pēn tì
笑 得 像 个 小 傻 瓜,笑 得 太 厉 害 了,就 打 起 喷 嚏

lái
来。”

wǒ bà ba xiào le qǐ lái
我爸爸笑了起来。

zhēn de fēn nī xiǎo jiě shuō
“真的!”芬妮小姐说。

yú shì gé luò lì yà shuō ào dì sī tán zhe jí tā
“于是,”格洛丽亚说,“奥蒂斯弹着吉他
màn màn de kào jìn wēn dí kè yì diǎn diǎn kào jìn wēn dí kè cái
慢慢地靠近温迪克,一点点靠近,温迪克才
màn màn cóng chuáng dǐ xia pá chū lái
慢慢从床底下爬出来。”

tā quán shēn dōu shì huī chén ā màn dá shuō
“它全身都是灰尘。”阿曼达说。

kàn qǐ lái xiàng gè yōu líng dèng lā pǔ shuō
“看起来像个幽灵。”邓拉普说。

n gé luò lì yà shuō dí què xiàng yōu líng guò
“嗯……”格洛丽亚说,“的确像幽灵。过
le yí huìr bào fēng yǔ tíng le nǐ de gǒu jiù dūn zài wǒ de yǐ
了一会儿,暴风雨停了,你的狗就蹲在我的椅
zi dǐ xia shuì zháo le tā zài nàr děng nǐ huí lái
子底下睡着了。它在那儿等你回来。”

wēn dí kè wǒ jiào zhe tā bǎ tā lǒu de jǐn jǐn de hài
“温迪克!”我叫着它,把它搂得紧紧的,害

141

得它几乎喘不过气来。"我们在外面到处吹口哨儿叫你，原来你一直在这里。谢谢你们！"我对大家说。

"我们什么也没做。"格洛丽亚说，"只是坐在这里等待和唱歌，结果大家变成了好朋友。好了，现在饮料变成了水，鸡蛋沙拉三明治也烂成一团，不过我们有酸黄瓜和'里德莫斯·洛丹'，聚会还是可以继续下去。"

我爸爸拉来一把椅子坐下。

"奥蒂斯。"他说，"你会弹赞美诗吗？"

"会一些。"奥蒂斯回答。

"你哼一哼他就会弹了。"芬妮小姐说。

我爸爸开始哼，奥蒂斯跟着调子弹奏，温迪克摇着尾巴又躺回格洛丽亚的椅子下。我看着屋里的每一张面孔，心里充满了喜悦。

"等一下我就回来。"我跟大家说。

可他们忙着唱歌，温迪克在打呼噜，没人听见我在说什么。

欢乐的歌声

外面雨停了，云也散了，天空晴朗得可以看见每一颗星星。我走到格洛丽亚的后院，看着她的那棵"过错树"。我看看树，再看看天空。

"妈妈，"我说，就像她站在我身旁似的，"我知道关于你的十件事，可那不够，远远不够。爸爸会多告诉我一些，他很想你，我也很想你，但我的心不再空虚了。我保证我会思念你，但可能再也不会像这个夏天这样想你了。"

这就是那晚我在"过错树"下说的话。我一说完就仰头看着天上的星座和星星。就在那时，我想起了我自己的树——那棵格洛丽亚帮我种下的树。我好久没去看它了。找到它时，我很惊讶，它已经长大了许多。虽然还是小小的，而且比较像盆栽而不像一棵树，可叶子和枝干已长得有模有样。我跪在那儿，突然，听见一个声音说："你在祷告吗？"我抬头一看，原来是邓拉普。

"不是。"我说，"我在想事情。"

他 双 手交叉，低头看着我。"想什么？"

"一大堆事。"我说，"我很抱歉叫你和斯蒂威'光头宝宝'。"

"没关系啦！"他说，"格洛丽亚要我带你回去。"

"我跟你说过她不是巫婆。"

"我知道，"他说，"我逗你玩的。"

"噢！"我想近距离好好儿打量他，但院子里黑漆漆的很难看清楚。

"你到底想不想站起来？"他问。

"好吧。"我说。

这时，他做了一件令我大吃一惊的事——

他居然伸手要拉我起来，而我也没有拒绝。

"我和你比赛谁先跑到屋子里!"邓拉普一

说完就开始跑。

"没问题。"我说着，"不过我警告你，我跑

得很快哟!"

我跑赢了，我比他先碰到屋子的墙角。

"你们不该在黑暗的地方赛跑。"阿曼达

站在阳台上看着我们，"会被绊倒的。"

"噢，阿曼达。"邓拉普摇摇头说。

"噢，阿曼达。"我说着想起了卡尔，就替

她感到难过。我走到阳台上，牵起她的手

说："我们进去吧!"

“欧宝，”爸爸看到我们一起进屋来，对我说，“你也来一起唱歌吗？”

“好啊。”我回答，“可我会唱的歌不多。”

“我们可以教你。”他说。他冲着我笑得好开心，我真高兴看见他这样开心。

“对呀。”格洛丽亚说，“我们都会教你。”

“要一颗‘里德莫斯·洛丹’吗？”芬妮小姐说着，递给我糖罐。

“谢谢你。”我随手拿了一颗糖放进嘴里。

“要一根酸黄瓜吗？”奥蒂斯问我，举起他的罐子。

“暂时不要，谢谢。”

温迪克从椅子下钻出来，靠在我旁边，就像我靠在爸爸身边一样。阿曼达站在我旁边，我仔细看看她，发现她不再皱着眉头了。

邓拉普说："我们到底要不要唱歌？"

"对呀！"斯蒂威也说，"我们到底要不要唱歌呀？"

"我们唱歌吧！""小不点儿"睁开眼睛，坐直身子说，"为这只狗狗唱歌。"

奥蒂斯笑着弹起他的吉他。"里德莫斯·洛丹"甜蜜、忧伤的滋味像一朵花在我嘴里绽放。奥蒂斯、格洛丽亚、斯蒂威、邓拉普、芬妮

xiǎo jiě   ā màn dá   xiǎo bu diǎnr   hé wǒ de bà ba kāi shǐ

小姐、阿曼达、"小不点儿"和我的爸爸开始

chàng gē   wǒ zǐ xì de líng tīng   zhè yàng wǒ cái kě yǐ hěn kuài xué

唱歌。我仔细地聆听,这样我才可以很快学

huì

会。